Jette und Finn
stechen in See

Eine Geschichte von Dörte Diestel
mit Bildern von Friederike Ablang

CARLSEN

In den Sommerferien sind Jette und Finn bei Oma und Opa. Beim Eisessen im Garten sagt Opa: »Ihr kennt doch unser Segelboot, die Flotte Lotte. Wir wollen mal wieder damit rausfahren – kommt ihr mit?«

»Au ja!«, strahlt Jette. »Mit Übernachten an Bord, wie letztes Mal?« – »Ja«, sagt Oma, »aber jetzt seid ihr größer und solltet vorher ein bisschen segeln lernen. Wir brauchen echte Matrosen an Bord!«

Jette und Finn sind begeistert! Zum Glück wird im Ort ein Segelkurs angeboten. Am ersten Tag lernen sie von Trainer Matthias, wie man richtige Seemannsknoten macht. Den »Palstek«-Knoten braucht man, um ein Boot im Hafen festzumachen. »Gar nicht so einfach!«, staunt Finn.

Heute ist es besonders heiß, und alle springen erst mal zur Abkühlung ins Wasser. Dann dürfen sie in die kleinen Segelboote steigen, die »Opti« heißen. Matthias ruft: »Immer zwei in ein Boot – einer lenkt hinten und der andere paddelt vorn!« Finn und Jette kommen schon ganz gut voran.

Am nächsten Tag lernen sie, wie man das Boot allein lenkt. Man muss ungefähr in der Mitte sitzen und in der einen Hand eine Stange halten, die »Pinne« heißt. Damit kann man das Ruder im Wasser bewegen und so das Boot steuern. In der anderen Hand hält man eine Leine, die »Schot« heißt. Mit der kann man die Stellung des Segels verändern. Schwierig! Jette kommt vom Kurs ab, schafft es aber trotzdem, die Boje zu erreichen.

Nach zwei Wochen Segelkurs ist es so weit:
Morgen werden sie mit Oma und Opa einen
großen Segelausflug machen! Heute Abend
müssen sie einpacken, was sie an Bord
brauchen. »Beim Klabautermann«, stöhnt
Opa, »ist das ein Durcheinander hier!
Wenn wir so viel Zeugs mitnehmen,
gehen wir unter!«

Am nächsten Morgen stehen alle ganz früh auf und fahren zum Hafen. Hund Smutje kommt natürlich auch mit. Nachdem sie das Gepäck verstaut haben, verteilt Oma Schwimmwesten – auch Smutje bekommt eine!

Dann startet Opa den Motor und lenkt das Boot vorsichtig aus dem Hafen, hinaus ins offene Wasser.

Als sie auf See sind, setzen sie die Segel. Jette und Finn
helfen fleißig mit. Es bläst ein frischer Wind und sie
kommen gut voran. Dann rollen sie die Seile auf.

Das ist wichtig, damit auf dem Boot niemand stolpert.
Nur Smutje macht nichts – er sonnt sich an Deck.

Sie steuern gerade auf eine Bucht zu, da kommt plötzlic
ein anderes Segelboot von der Seite. »Achtung!«, ruft
Finn. »Au weia«, meint Opa, »das wird eng! Wir müsser

ausweichen, alle Mann an Deck!« Opa und Jette
steuern das Boot in eine Kurve, während Finn und Oma
genau aufpassen, dass genug Abstand bleibt. Puh!

»Jetzt ankern wir erst mal!«, schlägt Oma vor. »In der Bucht können wir picknicken und später übernachten.« Mit einem Beiboot fahren sie an den Strand. Smutje springt sofort ins Wasser. Jette und Finn können auch eine Abkühlung gebrauchen.

»Hab ich einen Hunger!«,
töhnt Jette nach dem Baden.
Opa hat die Picknickdecke
schon ausgebreitet.

Am Abend sagt Oma: »Ab in die Kojen! Damit die
müden Matrosen morgen munter sind!«
»Kojen« heißen die Betten auf einem Schiff – sie
sind eng, aber gemütlich.
»Und zum Einschlafen
erzähle ich euch, wie
ich früher allein um die
Welt gesegelt bin!«, sagt
Opa. »Ach, du immer mit
deinem Seemannsgarn«,
lacht Oma. »Was
ist Seemannsgarn?«,
fragt Finn. »Das sind
Quatschgeschichten von
Seeleuten«, erklärt Oma.

Am nächsten Morgen
frühstücken sie an Deck,
und dann fahren Oma und Finn
das Boot aus der Bucht. Smutjes Ohren
flattern im Wind. Als der Hafen in Sicht
kommt, bellt er plötzlich ganz aufgeregt …

Da sind ja Mama und Papa – so eine Überraschung! »Na, ihr Wasserratten« lacht Papa. »Die beiden waren tolle Matrosen«, lobt Oma. »Die nehmen wir bald wieder mit!«